KB162233

어머니의 누름돌

무이재 동인선•8

고흥작가회 제14집

어머니의 누름돌

초판 1쇄 인쇄일•2019년 10월 24일
초판 1쇄 발행일•2019년 10월 25일

지은이_ 고흥작가회
펴낸이_ 나호열
펴낸곳_ 도서출판 무이재
편　집_ 박주순

출판등록 2017년 3월 20일 제2017-9호
01416 서울시 도봉구 노해로 70길
E-mail_ moo2jae@naver.com

♣책 가격은 뒤 표지에 표시되어 있습니다.
♣지은이와 협의에 의해 인지는 생략합니다.
♣잘못된 책은 교환해 드립니다.

ISBN 979-11-966951-7-0 03810

■ 본 도서는 고흥군과 고흥군의회 지원으로 발간되었습니다.

고흥작가회 제14집

어머니의 누름돌

高興作家會

■ 머리글

언어 미학의 빛나는 발현

쌓여가는 회원님들의 언어적 미학이
14권의 집에 아름답게 발화하는 애틋한 모습들을
모으고 가꿔 고흥지역 정서로 피워내며
가을이 주는 풍성하고 넉넉함 보다
애닯고 쓸쓸함이 묻어나는
그러면서도 용기를 잃지 않고 힘차고 곧게 자라는
나무같이 꿋꿋이 뿌리를 내리고 있음에
함께 공유하는 여러분께 고마움을 나누고 싶다.

또한 올 가을 농어촌을 휩쓴 태풍보다 얄밉고
무겁게 마음의 상처로 남음직한 아쉬움을
시적감흥으로 대신하고자 한다.

총무를 맡아 수고를 아끼지 않은
양동선 시인의 적극적인 역할이 없었다면
집이 태풍에 날려 어느 나뭇가지에 매달려
소멸되고 말았을는지 알 수는 없지만

그동안 함께 작품을 발표하며
고흥사랑을 실천하는 여러분이 계시고
나누고 베푸는 이웃이 있는 한
고흥작가회의 정신은 꿋꿋이 지켜지며
군민과 함께 하리라 믿어본다.

2018년부터 이대원·정운제독 정신계승
청소년 백일장 대회 수상자 시편과 심사평을
작품집 뒤편에 오롯이 실어
청소년들에게 이 땅의 역사를 바로 알리고
튼실한 디딤돌이 되어 달라는
격려를 함께 보내는 바이다.

2019. 10 비가 울먹인 날
고흥작가회 회장 남선현 드림

■ 차 례

오순택

강영애

정혜진

오재동

- 두원면 대동 출생
- 현대시학 추천으로 등단
- 개인시집: 『운암리 詩篇』 외 다수
- 한국문학 백년상, 기타 근정포장 서훈 등 다수 수상
- 한국 문협 이사, 한국 현대시협 중앙위원, 광주시협 회장
- 현)한국 문협 자문위원, 산울림동인, 고흥작가회 고문

눈 내리는 간이역

오재동

들길도 미루나무도 훌훌 옷을 벗었다
하나 둘
불빛 살아난 강변 긴 언덕에
외줄기 기적소리 길게 흘리며
3등 열차는 꼬리를 흔들며 아스라이 사라지고
눈은 푹푹 내려
소리 없이 역사驛舍를 덮는다

설희라는 이름이 자꾸만 그리워지는
오늘은
강물 따라
길이 하얗게 생기고

역부驛夫의 외투자락에 뚝뚝 떨어지는 눈은
산골 외딴집
집나간 아배는 돌아오지 않고
홀 어메와 사는 철든 외딸의 설움만큼 차갑다

바람은 쌀랑쌀랑 불고

15촉 불빛이 희미한

호젓한 대합실

시린 벤치에 앉아

대처를 떠돈 아들놈 생각에

우는 듯 조는 듯

저승산이 무너질 듯

솔 껍질 같은 노파의 두 볼에 흐르는 슬픔은

그리도 어릴 적 내 어메 같은지.

무명고지無名高地

피맺힌 능선 155마일
달빛 젖어 흐른다

옥문이 여닫기 듯
하루가 또 새고 저물고

한 탯줄 진하던 피는
풀빛으로 엷어 가는가

울며 예는 가람 속에
제대로 잠 못 이루고

임진강 휘휘 돌아
완충지緩衝地를 저만치 돌아보며

평화와 전쟁이 귀댄 곳
지금은 영하 몇 십도 선상인가

잿빛으로 물든 산하
울음 빛으로 떠오르고

이렇게 멀리 눈 날리는
내 조국 피의 판도版圖

허공을 지킨 포신砲身이
핏물 보다 아파라.

백운산에 오르며

섬진강 물소리에
밤꽃 밭이 젖고 있다

몇 통의 꿀 벌 치는 알로나
이 세상 심심함을 달래며

가락 틀린 노래를 불러서 무얼 하나
시를 써서 무얼 하나

물가에 귀를 대면 은어 떼가 해살대고
낚싯대를 던지면
물풀들도 몸을 떠는데 –

이 여울물 흐르는 산자락에 초막 한 채를 지은들 무얼 하나

해질녘 꽃처럼 타는
청솔가리 맑은 연기를 모아
등굽은 버드나무 굽어보는 강물 속에 흘려 보낸들–

들판의 벼 그루터기마다
하얗게 서리가 내리면
머리카락을 헤이며
하산下山이나 할까.

비운다는 것은 즐거운 일이다

아주 오랜만에
해설프게 무엇이 되겠다고 방황하던 세월을 지나
삶의 무거운 짐을 벗어 버리고
넥타이도 매지 않은 초로의 인생으로
옛 동료들과 소주병에 모여 앉았다
어떻게들 살아온 세월을 묻고
짐짓 서로의 건강을 이야기 하고
단단한 소주잔에 어른거리는
우리들의 옛사랑을 노래하고
거리에 떠도는 이야기를 주고받으며
개떡 같은 세상사를 개탄하면서
우리는 소주잔을 비웠다
모두들 죽기위해 살아가고 있는
거칠고 마른 나이에
오랜 세월의 바람에 씻겨
곱게 기울어진 어깨 너머로
초생달 이미 재 넘은지 오래 되도록
우리는 서로의 술잔을 비우고 또 비웠다
비운다는 것은 즐거운 일이다
행복하다는 것은 즐거운 일이다

행복하다는 것은 하얗게 비운다는 것이다
때로는 뿌리 없는 이야기를 주고받으며
적잖은 술자리를 끝내고
아직은 몇 개의 마른 잎에 떨고 있는
우리들의 사랑이 묻혀있는
스스로 깊어 간 금남로 길을 고개를 떨구고 걸었다.

인동기忍冬記

섬 기슭 조그마한 마을
우리는 새 그물을 쳤다
마른 탱자나무 울타리
몇 마리 참새가 와서
넘어지고
그물코마다 얼어붙은 눈알이
매달려 있다

우리는 죽은 참새가 되지 않으려고
밤새도록 털을 뽑았다
흰 접시에 살점을 발라내며
참새처럼 모여 앉았다
이윽고
남해바다에 잠 같은 눈이 퍼부었다
바다는
참새처럼 밤새도록 쫑알거렸다
개동백 어린 눈꽃을
그해 마지막 눈이 덮어주고 있었다
눈발 속에서
작은 섬들이 몰려다녔다.

임득춘

청자부青瓷賦

자화상

백로白鷺

채석강彩石江

삿갓

- 포두 세동 출생
- 저서 : 『대체의학과 국선도』『정통침구의학』 외
- 개인시집 : 『청자부』 외
- 논문 : 『국선도 단전호흡 수련이 고등학생 정신건강에 미치는 효과』
- 대한민국홍조근정훈장 수훈
- 현)국선도풍암수련원 원장(국선도법사)
  한국지역문학인협회운영위원, 광주시인협회 이사

청자부青瓷賦

임득춘

(1)

도공은

육신을 태워

자기를 굽는다.

욕망은

불꽃으로 태우고

영혼은

파란 사리로 녹아

자기의 명을

항아리에 담는다.

박물관

진열대 위

학은 살아나 나래를 펴고

항아리 속
꾀꼬리는
도공의 푸른 영혼을 토해낸다.

(2)
나는 징소리

얼 얼이 울어
산하에 흐르는
나는 징소리

한번 울어
청자의 색깔이 되고
두 번 울어
백자의 선이 되어
부처님 미소로 피어나는

나는 징소리.

자화상

아침마다
거울 속
나의 자화상

한 세상 살아온
마음의 나이 태
그 속에 내가 있다.

검버섯 주근깨
때국물로 얼룩진 얼굴
내 눈 바로 보지 못하고
고개 숙인 자화상

향기는 못 그려도
몇 년을 씻고 더 벗겨야
내 자화상 바로 그릴 수 있을까.

봄에 파랗게 싹이나
가을에 저리 곱게 변한

단풍을 보고 돌아온 날이면
나는 한없는 자책의 슬픔에 젖고

양파껍질 벗기듯
한 겹 한 겹
자화상 껍질을 벗겨간다.

마지막 한 겹도 남지 않을 때까지

백로白鷺

섬진강 맑은 물
하동포구로 흘러드는
여울목 어디에
긴 목 사려 얹고
물속을 응시하는 백로 한 마리

오늘도 그림처럼 외다리로 서서
나루터 떠난 아들 기다리듯이
지난 세월 기다린다.

다리가 길어서
슬프디 슬픈 네 그림자를
너는 그리도 싫어서 밟고 섰는가.

스쳐 간 지난 시간 그 편린片鱗들
하나같이 부셔진 생명의 조각

바다로 흘러가버린 까마득한 시간들
거짓말 같아
믿어지지 않아

백로는 오늘도
외다리로 서서
긴 슬픔 부리로 줍는다.

채석강彩石江

채석강 퇴적암 마당바위에 앉아보면
가슴에 무덤 둘 씩 안고 살아가는
어머니들을 만난다.

1980년
광주
도청 앞
금남로
골목골목

푸른 함성이 무등산을 흔들던
5월 어느 날
수의도 없이
최루탄 매운 눈물로 싸서
망월동 보낸
귀여운 새끼들 주검

영혼은 망월동에 풀어놓고
그 시신 가슴에 묻어두고
허수아비처럼
빈 세상만 살아온 어머니들!

서해 개펄처럼
아픈 가슴 비워보지만
잊은 듯 잊힐 듯 썰물로 숨어 있다가
울컥울컥 밀물로 밀어 올려
시루떡처럼 층층이 쌓이는 한恨

세월이 갈수록
화려한 휴가*를 즐기던
공용의 검은 발자국은
에미 눈目 속
화석으로 굳어져만 가고

가슴에는
채석장 떡 바위가
또 하나
슬픔의 나이테로 쌓여 간다.

---

* '화려한 휴가'는 5·18 광주 민주화 운동 당시 계엄군의 비공식적인 작전명

삿갓

아가야
삿갓은
비올 때 쓰는 우비가 아니란다.

날씨 좋은 날
내 얼굴 가리는 가리개란다.

마음의 때가
채석강 떡 바위처럼
굳어져 버린
긴긴 세월이 부끄러워
하늘을 가리는
내 무덤이란다.

노고할미가 부끄러워
고개를 차마 들 수 없는 날
내 얼이 숨어드는
얼굴이란다.

아가야
너는 아직
삿갓 쓸 때가 아니란다.

김휜구

- 도덕면 도덕 출생
- 월간 『문학세계』로 등단
- 교사로 정년퇴임
- 개인시집 : 『그대가슴에 라일락꽃을』 『삐그덕』 외 15권
- 고흥작가회 회장역임, 고흥문화원 이사 등

한글 읽기

김훤구

쓸 때는 괴로움이라고 쓰고
읽을 때는 기회라고 읽으라.

낚시질

창자가 비치는 맑은 호수
버들가지에서 봄이 거꾸로 자라고
호수에 내려온 흰 구름 위에
배를 띄워 무심을 낚는다.

기도

생각마다 주예수이게 하소서
행실마다 십자가 지게 하소서
그리하여 당신의 사랑을 내가 이루게 하여
내가 하나님으로 살게 하소서.

넘어진 아이

잠에서 깨어난 아이가
엄마 찾아 울고 가다 넘어졌다
그것을 본 엄마는 일으켜 세우지 않았다
넘어진 땅을 밟고
자기가 다시 일어선 후에야
흙을 털어주고 약을 바르지
넘어져 있을 때 일으켜 세워주면
일으켜 세워준게 재밌어
자꾸 넘어져
평생을 상처와 실패다
어린애만이 어린애가 아니다
어른도 어린애이고
국가도 어린애다.

꽃

뿌리내린 흙의 품이 포근해
따뜻한 햇살의 입술에 눈감고
흔들어 대는 바람의 유혹에 신나고
한 바가지 물로 넘쳐나니

이리도 좋은 세상
천국인들 이리도 좋으랴
극락인들 이리도 좋으랴
하도 좋아 꽃으로 노래한다

예쁜 꽃으로 보답하고
향기 풀어 세상을 향기롭게 하고
꿀을 내어 삶을 달콤하게 한
저 꽃의 일생을 하룬들 살 수 없을거나.

텃밭

나는 당신에게
무엇을 해주었느냐고
무엇을 잘해 주었느냐고
무식하게 따지지 않아요

당신이 아니라 내 스스로
당신을 사랑해 사랑의 업을 쌓고
당신을 존경해 존경의 업을 쌓아
내 운명을 내가 가꾼답니다

소가 언덕이 있어야 비비듯이
당신은 그저 무심한 언덕이고
나는 일만하는 소라도 좋아요
서로가 비비고 살아

이 세상에서 아내의 도리를 다하고
다음세상은 이승의 선법으로
더 푸르고 싱싱한 삶을 가꾸게 하는
당신은 내생명의 텃밭.

나는 부자다

나는 부자다

지혜로운 머리
현명함을 바라보는 눈
천상의 소리를 듣는 귀
상대의 말과 행동에서
인격의 냄새를 맡은 코
따듯함을 나누는 가슴
잡아주고 이끌어주는 손발

이런 넉넉한 육신이
들과 산과 바다의 젖을 먹고
태양의 품에 들었으니
네 이름은 내가 빛낸다

내가 가진 육신까지
나누어 주리니
나야말로 너무나 많이 가진
천하제일의 부자다.

오순택

꽃의 마음

씨감자

비밀의 문

이상한 선물상자

3월 목련

- 두원면 대동출생
- 66년 전봉건 시인 추천으로 등단
- 동시집: 『목기러기 날다』 외 17권
- 기행사진 동시집: 『그곳에 가면 느낌표가 있다』
- 시가있는 육아 이야기책: 『할아버지의 사진이야기』
- 개인시집: 『바람 꽃 다듬다』『그겨울 이후』
  『탱자꽃 필 무렵』『남도사』 등
- 현)국제pen한국 본부이사, 한국문인협회 이사, 한국 동시문학회 이사,
  계몽아동문학회 회장, 한국문인협회 아동문학분과 회장 등

꽃의 마음

오순택

나비가
향내를 탐내도

꽃은 나비를
탓하지 않는단다.

벌이
꿀을 가져가도

꽃은
벌에게
대가를 바라지 않았단다.

[동시]

씨감자

상처 난 자국에
재를 바르고
흙속에 묻혀 있다가

순한 새 움
쏘옥 밀어 올리고
스스로 기름이 되는
씨감자.

쪼개고 또 쪼개져도
씨는 하나만 있으면
알 감자 많이 맺힌다.

비밀의 문

태어날 때
딱 한 번
열렸다가 닫힌
내 배꼽.

엄마만
아이디와 비밀번호를
알고 있는

내 배꼽.

이상한 선물상자

새해 첫날
우리 집에
선물상자 하나가 배달되어 오는데요.

열어보지 않아도
상자에
무엇이 들어 있는지 알아요

보낸 사람의 주소가 없어
돌려보낼 수도 없는
이상한 상자.

그 속엔
하나씩 꺼내 먹으라고
나이가 들어 있어요.

3월 목련

솜털 보송보송한
목련나무가
뽀얀 귀를 열고 있다.

누가 오시기에
저렇게 환하게
피어나는가.

햇살이
화르르
채송화 씨처럼 쏟아진다.

강영애

- 아호: 예지 / 전남고흥 출생
- 2002년 월간 문학공간 시부문 등단
- 총신대 졸 / 부천 제일중앙교회사역 역임
- 개인시집 1: 『시들지 않는 장미』 / 시집 2: 『마르지 않는 강』
- 다산문학 부회장 역임 / 평지문학 / 한사 문협 시사랑
- 지도 클리닉 작가 역임 / 詩,수필 개인지도 / 웃음치료 강사
  레크레이션 강사 / 노인심리 상담사역임 공저 다수

쉴 낙원

강영애

동네 앞 차도를 달리다
횡단보도 앞에 잠시 서 있는
한 대형버스 옆구리에 있는 문구가
인도위의 내 눈길을 확! 이끈다

으리 번쩍 하고도
웅장해 보이는 덩치 치고는
그리 큰 글체도 아니게 쓰여 진
그 짧달 막 한 문구 쪽으로
자꾸만 고개가 돌려 진다

어?! 낙원?!
밀턴의 실낙원이 아니라 쉴 낙원?!
히야~어떤 교회지?
전혀! 못 들어본 교회 이름인데,,,라며,
되 쳐다보노라니 장례식장 셔틀버스다
갑자기 누구의 주검이 저 안에 있을까! 라는,
써늘한 숙연함이 전율을 탄다

그러면서 연실~쉴 낙원?
쉴 낙원? … 참! 말 된다.
거 참! 대단한 아이디어다! 라는,
상념想念이 실~실~
꼬리를 달고 따라 온다.

몽상

이천 십구 년 초 기준으로
민간인 자격증만도
삼만여 개의 종류를 육박하고 있다는
자격증 대풍 정보를 접하다 보니
현실적이지도 못한 한 몽상이 피뜩!
이 좀팽이 머릿속에 구상을 한다

자격 요건은 아무 것도 필요 없이 그냥,
자신의 힘으로 발버둥을 치고 또 쳐도
되지 않는 아픔 슬픔 고통 그런 일들을
거뜬히! 해결을 해줄 수 있는
그런 만능 자격증이 있고

그 자격증 하나만 취득 하면은
이력서나 면접이나 여권 같은
그런 복잡한 절차 없이 걍,
천사나 새나 공기나 바람처럼 훨훨
온 세상을 비행해 다니다가

CCTV나 레이더망처럼
도와주어얄 대상들을 한 눈에 발견하여
즉각! 즉각! 도와주는
그러한 자격증에 대한 몽상이.

게 폼

바닥만 기던 저 게 또,
상시완 판이하게 다른 폼 한 번
멋들어지게 잡아보느라
꼰지 발을 불끈! 그리고…
우아하게 치세운다

똑바로 걷지도 못하는 주제에
폼은 잘 잡는다고 혹여,
수근 거리지들 말아요!
제대로 좀 걸어 보고픈
간절한 의지완 달리

걸었다 하면은 삐뚤빼뚤
우스꽝스러운 몰골이 되고 마는
그 스트레스 욕구를 풀려 면은

가다가다 한 번씩 이렇게라도 하지 않음
살아있음을 못 느끼기에 잡아보는
이 게 폼을 보면서 말이오! 라는,
하소연 어린 거품을 뽀글뽀글 내뿜으면서.

김치 고추장 된장 예찬

그런 것들이 그렇게!
소중하고 맛있는 음식인줄
까맣게 모르고 살았다

김치 고추장 된장이 없는
그런 세상에 가보고 나서야 비로소!
그러한 음식들은 있어도 그만
없어도 그만인 식으로 여겨 왔던
지난 내 식생활이
보통 무엄한 짓이 아니였구나!는
죄의식 같은 반성과 미안함이
전율을 타면서

앞으로는 그 식품들을 대할 때 마다
세상에서 가장 사랑하는 이 대하 듯,
아주아주 소중하게 대할 것이라는
마음가짐이 절로 우러나와
귀국 하자마자 김치찌개부터 시켜서
싹싹 핥아 먹었다

밤샘 운동

불면의 밤이 일상이 되어버린 나는,
밤만 되면은 잠을 자는 게 아니라
밤샘 운동을 한다

잠을 자 보겠다고 눕는
그 시간부터 일어나는 시간 까지
몇 번이나 뒤척거렸는지
세어 보지 않아 모르겠지만,

아무튼, 이 몸을 침실에 던져
잠을 청하려고 하는 그 순간부터는
불 위에 올려진 마른오징어처럼
일 이 분 간격으로 엎치락뒤치락
이브자리와 씨름대전을 벌이다 보면은
그 밤도 밤이라고 날은 새고,

기분 좋은 아침 창 열어 보는 게
대大 소원인 나의 의지만큼이나
엉망진창이 되어버린 이브자리는

패배의 쓴맛을 맛보게 해주었을 나를
원스러운 눈으로 쳐다보곤 한다.

정혜진

추억마디 미르마루길

이제 너희들이 있어줘

한 가지 더 놓인 반찬

꽃잎나비가 된 빗방울

모두 다 같을 순 없어

- 고흥 과역 출생
- 아동문예 동시천료와 광주일보 신춘문예 동화 당선
- 개인동화집 6권과 동시집 15권 등.
- 한국동시문학상, 전라남도 문화상(문학부문) 등 수상
- 한국문인협회, 한국아동문학가협회 이사, 전남여류문학회장

추억마디 미르마루길

정혜진

남열리 해안가
4km 마루로 이어진 길

반짝반짝 찰랑찰랑
가깝게 다가온 손짓들
물빛 눈 맞춤으로
바다이야기 들려준다.

섬이 된 나무들
오가는 고깃배
꼼지락 기어오른 갯강구

바다 품 일터에 나간
어깨 무거운 아빠 위해
간절한 기도 올린
엄마의 떠오름 소원

용마루 미르길 따라
추억마디 되어 안긴다.

이제 너희들이 있어줘

동에서 서쪽까지 하늘 폭 걸으며
쳐다보고 있는 모두에게
고루고루 빠뜨림 없이
나눔 빛 전하느라
눈부심이 다 떨어져 가는 해님

노을빛 커튼 드리울 때 쯤
달님별님에게 부탁한다.

−이제 너희들이 있어줘.

방긋 웃음으로
고개 끄덕인 달님별님

−내일 다시
  저물어가는 석양녘에 만나요.

보내고 맞이하는 정이
참 따듯하다.

한 가지 더 놓인 반찬

TV 보면서
식사하고 있는 할머니

벙긋벙긋 벙그레
호호 하하 어이쿠!!

보고 있던 손주
고개 갸웃 끼어든다.

–골고루 드세요.

–그래그래, 걱정 마라.
  TV 맞춤반찬이 있잖니?

할머니 식사시간엔
소화 잘 되는 반찬 한 가지
더 추가되어 놓인다.

꽃잎나비가 된 빗방울

이팝나무 하얀 꽃잎들
여행 떠날 준비한다.

–우리 빗방울처럼 사뿐 내려가
 동글동글
 꽃잎 그림 그려보는 거 어때?

–바람님에게 부탁하면
 나비도 될 수 있으니까
 아기 풀들 모여 노는 마을도 좋겠어.

–놀이터에 가면
 방글거린 아이들
 깔깔 웃음도 만날 수 있어.

나비 빗방울 되어
사뿐 내려온 꽃잎 친구들
아기 풀들 마을에서
놀이터에서
하얀 그림 방석 만들고 있다.

모두 다 같을 순 없어

–나는 왜 해마다 지각생인지 몰라
석류나무가 슬퍼합니다.
봄소식 제일 먼저 알린 매화꽃이
참 부럽습니다.

–겨울 잠 너무 오래 자면 그래.
아무리 추워도 깨어있어야 해.
매화나무가 위로합니다.

흰 눈 손님 남아 있는 이른 봄
매화꽃이 향기롭게 피었습니다.
감나무 참빗살나무 사과나무에도
연둣빛 새싹이 돋았습니다.

있는 힘껏 물을 빨아올렸지만
20일도 더 지나서야
발그레 새움 돋은 석류나무
푸른 잎이 피려면
아직 더 많은 시간이 필요합니다.

-모두가 다 같을 수는 없어.
 넌 연둣빛 돋아 올린 친구들과는 달라.
 주황빛 만들어내기가 얼마나 특별한데
 수고가 많았구나.

푸른 잎 걸기 위해 애쓴 석류나무
힘들었던 모습 알고 있는 해님
칭찬 웃음 보냅니다.

이광호

- 도덕면 은전 출생
- [시인의 집] 동인으로 작품활동 시작
- 2011년 「창작21」 시부문 신인상
- 2015년 「창작21」 시조부문 신인상
- 20여년간 한글모양에 대한 연구 활동
- 개인시집: 『ㄱ에대하여』『담아두고 싶어서』
- 현) 농업에 종사

저녁 종소리

이 광호

종소리 물결 따라 하염없이 전해다오
대기권 지구어깨 산을 넘어 파동 치는
댕그랑 사랑 동그라미 저녁노을 붉어라.

봄비

말소리 비오는 밤 귀엣말 소곤소곤
양 이틀 심어놓은 옥수수 모종들아
새 뿌리 하얗게 내려 부리부리 먹어라.

폭포랑 분수랑 둘이

폭포는 떨어져도 모음은 올라가고
분수는 올라가도 모음은 내려오네
폭포랑 분수랑 둘이 모음서로 널뛰네.

날개를 곱게 접은 새

섬시옷 다가오고 지나가는 저－산시옷
이른 새벽 살구나무 사람들아 일어나소
날개를 곱게 접은 새 옆모습은 시옷일세.

빈 - 동네 정자나무

빈-동네 정자나무 맴돌다 가는 길에
여인네 얼음동동 메밀국수 한 그릇을
매매는 소나기처럼 여름시를 외우다.

닭장에서

통령들 가둬놓은 닭장에서 보았는데
콕! 하고 약한놈을 단번에 쪼으더니
덩달아 이웃놈들이 피를 보고 웃더라

피흘려 끝난 것은 절대로 아닙니다
달민족 그믐날 밤 노을진 한탄마오
달에서 리을 떨어진 다음 다시 초승달.

이 연 숙

• 고흥 금산출생
• 문학21 시부문 등단
• 현)송수권 문학상운영위원, 목일신동요제 법인이사
• 현)민족예술총연합회 고흥군 부지부장,고흥문화원 이사
• 현)고흥군 군의회 의원 등. 다수의 시회단체장으로 봉사활동

참새

이연숙

아스팔트위에 참새 떼가 놀고 있다
언제나 그랬듯이
물오른 은행나무가
금세 예쁜
단풍의 옷을 입을 거라고
제잘 거리고 있다

매미떼 울음 속에
참새는 늘 기분 좋은
아침을 알린다

창밖에서 일어나라 노래하고
운동장에서는 날듯이 걷기도 한다
순간 사람보다
사랑스러운 참새….

일상·2

밤을 새워야
새벽별을 보듯이
긴 터널을 지나
시궁창을 건너야만
황금빛 햇살이
비로소 보인다

세상에 영원함이
없음에도 불구하고
진한 간절함이
절실한 다리가
되어야 함이다

뜨는 해와 지는 노을
오곡을 여물게 하는
천둥의 비와
태풍의 바람이
있는 것처럼
가장 자연스러운 것
나의 일상 내 삶이다

감사

—연사모에 부쳐

봄을 부르는 비가 내리네
언젠가부터 따듯한 방
그곳에서 창밖을 보는
즐거움에 빠졌어

순간 순간이지만
오늘처럼 비가 내리면
더욱 행복하네

봄을 부르니 금방이라도
기쁜 소식으로
다가올 것 같아
참 행복 하네

따듯하긴 겨울이 더하지
온돌의 역사와 보일러
이젠 침대위의 호사를
선조들의 땀의 대가로 받았다면
평온함 따스함을

주고 싶은 부모의 마음으로
이 순간을 감사하네

도전보다는 꿈과 희망으로
부드러운 내일을
보듬어 주려고 해

힘이 들더라도
늘 항꾸네 가세나 ^^

노르웨이 투어

함께 가는 것은
외롭지 않다

그가
나무이거나 풀밭이거나
함께 가는 것은 즐겁다

파란 하늘에 구름이거나
그를
아름답게 하는
햇빛이면 더욱 좋다
함께 가는 것은 행복하다
유유히 흐르는 강과
멀거나 가까이서
감싸주는 숲들

찌든 삶을 씻어주는
음악과 함께 가니
진정 외롭지 않다.

선택

—의원

흑과 백을 가린 것도 아니요
늘상 가슴 아픈
선택일 뿐

민을 위한 싸움이란
허울 속에
혹여 나의 이익이
씨알이라도 있기를
가슴으로 불허한다

오직 선을 위하고
약한 자의 편에 서서
정의에 나팔을 불면
내일도 금빛 태양이
떠오르겠지.

양동선

- 점암면 신흥 출생
- [크리스찬문학] 신인상 수상하며 작품활동
- 개인시집 : 『고향풍경』
- 동시집 : 『해바라기』『네잎크로버』 등
- 현)고흥작가회 사무국장(총무)

100년의 각오

양동선

지난 100년 디딤돌 삼아
다가올 100년을 향한 걸음마다
후대의 길잡이의 책임감으로
구태와는 완전히 결별하고
국력 결집에 힘을 보태고
맺힌 과거사 하나 제대로 풀지 못한
슬픈 현실 직시 하면서
새로운 100년 힘찬 비상을 위해
순국선열 앞에 미리 숙여
겸손하게 각오를 다져보는 오늘.

팔응장군과 백마

때는 임진왜란 25년 전
신안의 어느 가난한 여산 송씨 집
어머니의 정성 다한 기도 끝에
팔영의 정기를 타고난 팔응
우연히 연등 못에서 백마를 만나
팔영산을 십여년 오르내리며
익힌 무예 타의 추종 불허 할 무렵
섣부른 약속으로
먼저 보낸 백마 너무 아쉬워
팔영산 상봉에서 한 달여 넋을 달랠 때
민족의 비극 임진왜란 발발하자
충무공과 함께 민족을 구하고
모든 벼슬도 마다하고
고향을 지키며 자신을 묻는 흔적은
이 시대 더욱 무겁게 다가옵니다.

봄

새 – 봄
어울리지 않는 갑갑한 소식에
다시금 움츠려 들게 하고
짧은 만남 뒤로하고
초여름 길목에 이르러
이른 폭염을 걱정케하는 우리에게
새봄에 한껏 기지개 켜고
자유로울 수 있는지
자문하지 않을 수 없는
무거운 마음 가눌 수 없어
뒷산에 올라 목청껏 외쳐 보지만
오히려 쌓여만 가는 갑갑함에
가슴을 치게 합니다.

가을 산

웃음꽃에 파묻혀
언제나 바쁘다

빨강 노랑 색색 옷에
머루 다래 알밤도 가득

하늘은 높푸르고
먹지 않아도 배가 불러

자꾸만 터지는 웃음 때문에
두리번두리번 웃음 참는다.

여름나기

아삭아삭 달콤한
샛노란 참외

빠~알간 한조각 이면
무더위도 두 손 드는 수박

새콤달콤한 맛
알알이 담긴 포도 등

제철과일 더불어
알찬 여름나기 그려 봅니다.

김명숙

밤의 눈

어라비안나이트

목욕재개

누름돌

동백꽃

• 시인, 아동문학가
• 제1회 한국아동문학회 신인문학상 수상(동시 등단)
• 시집: 『그 여자의 바다』 문학의 전당. 2011
• 초등학교 5학년 음악교과서 “새싹” 저자
• 가곡 41곡/ 동요 70곡 발표
• 제54회, 57회 4.19혁명 기념식 행사곡 “그 날” 작시
• 제60회 현충일 추념식 추모곡 “영웅의 노래” 작시
• 수상: 부천예술상, 한국동요음악대상, 도전한국인상,
제5회 오늘의 작가상 수상 외 다수

밤의 눈

김명숙

그날 밤은 달빛도 숨을 죽였다
찰싹이는 파도만 간간히 귀청을 때리고 갔다
먼데 낙지잡이 배인지
장어 잡이 배인지
호롱불 같은 불만 깜박이고 있었다

말없이 선창가에 앉아
술을 마시고 있었다
누구랄 것도 없이 그날 밤은
말이 필요 없다는 것을 알고 있었다

꼴깍이며 넘어가는 쐬한 소주 한 모금마저
미안하다는 듯 호흡을 낮췄다
너무 고요하면 그 주위의 것들도 덩달아
침잠한다는 것을 그 때 비로소 알았다

어둠은 얼굴을 가린 체 복면가왕의 자리를 고수했고
우리는 말없이도 하나가 되었다

하늘엔 별이 총총,
은하계의 은하란 모두 이곳에 모여 있는 것 같았다
어느덧 하현달이 대섬을 넘어가기 전이었다.

별들이 아침을 불러오기 직전,
정적을 깨고 오래 살아온 이씨가 말을 꺼냈다
무음이었다.
이상하게도 우리는 그의 말을 알아들을 수 있었다.
어둠이 우리에게 들려주는 전언이었다.

짭조름한 갯내음이 훌륭한 안주거리가 되어준 밤이었다

어라비안나이트

닫혀라 주근깨!
막 바위 문을 열고 나온 그녀가 주문을 외운다

섹시하거나 요염하지 않아도
시선을 확, 잡아끌고 싶은 그녀

화사한 옷맵시로 머리에 떨잠 얹어 치장한
보일 듯 말 듯 가느다란 저 다리

저 바위 문 속에는
얼마나 많은 여인들이 갇혀 있을까

닫혀라 주근깨!
어라비안나이트 전설 속에 진달래꽃이 진다

목욕재개

아버지의 제삿날이었다
구십이 넘은 어머니가
아버지 기일이라고 목욕재개 하신다
평소엔 당신이 죽으면 절대 함께 묻지 말라는
말씀을 밥 먹듯 하시던 어머니
기일이 되고 보니 그리워진 걸까
아버지가 싫다 싫다 하실 땐 언제고
목욕재개하시냐는 딸의 물음에
아버지 만나면 이쁨을 받으려고 그란다 하시며
객쩍은 농담을 던지며 웃으시는 어머니
홀로 되신지 47년
살다보니 미운 정도 고운 정으로 바뀌었을까
구십이 넘은 어머니
온 몸을 구석구석 정성껏 씻는다

누름돌

어머니는 마음에
누름돌 하나 간직하고 사셨다

숨을 죽여 맛을 내는 누름돌처럼
살아감이 팍팍할 때나
북받치는 감정의 옹이가 올라올 때면
지그시 꾹 눌러 잠재웠다

모난 삶이 둥그러지기까지
세파에 치이고 깎이며
반들반들해진 어머니의 시간

짓누르는 무게가 무거울수록
맛들어가는 김치의 맛처럼
한평생 숨죽여 곰삭아진 어머니의 삶은
자식들에게 준 보시布施였다

내 마음에도 어느새
작은 누름돌 하나 커가고 있다

동백꽃

불을 켭니다.
당신께 향한 그리움 모아.

불을 켭니다.
기다림의 심지 키 높이로 켜
몇날 며칠이고 타오르렵니다.

설령,
땅에 떨어져 뒹군다 해도
후회하지 않겠습니다.

김경숙

파도는 수군이 되어

긴장의 끈

은빛 햇살

여름은

빈집_ 친정

- 도양면 장수 출생
- 문학세계 신인상
- 고흥식품에서 유자차 제조
- 농사와 시작할동 겸하고 있음

파도는 수군이 되어

김경숙

우르르 쏟아지는
여름 장맛비를 맞으며
푸르디 푸른 바다로 간다

비에 젖지않는 바다는
하얗게 울고
팔월 세찬 비바람 속
광화문에서 울려 퍼지는
촛불의 함성이
힘찬 준령이 되어
주검없는 파도를 쌓으며

이 곳 바다 수만리
부딪치는 물결마다
칡꽃으로 일렁이고
넘실대는 파도 위로
수군의 깃발이 나부낀다.

긴장의 끈

둥근 우주선 안으로
나뭇잎 하나 둘 떨어진
몸통을 밀어 넣으니
전광석화와 같은
푸른 파장이 붉은 피를 타고
희디흰 힘줄을 뒤집는다

타타닥, 먼 기억이
별처럼 부서져 내리는
몸 속 세포들
수억년 흙먼지 일으키며
고향 속 나의 뼈는
하얗게 네안데르탈인 되어
병동 수납장에 봉인 되었다.

은빛 햇살

차르르 차르르
은빛 햇살 가르는 여치 울음이
파란 하늘에 닿구요

가을볕에 사각이는 벼 이삭은
찰랑찰랑 흔들리는
억새풀과 마주보며 웃습니다

나는 잎사귀 넓은
굴참나무 사이로
파란 하늘 한 모금
마셔 봅니다.

가을은 둥굴고 넓은
굴참나무 잎새를 타고
푸르른 바람으로 내려옵니다.

여름은

산골짝 마다
여름은 가고 있습니다
다시 오지 않을 것처럼
뜨거운 불을 조금씩 꺼뜨리고
계곡으로 식어가는 태양을
내려 놓습니다.

단단했던 태양은
아쉬움에 뒤를 돌아봅니다
한 때 가장 높이
빛나던 때를 이별하며
산봉우리에 타오르던
찬란한 햇살을
조금씩 조금씩 계곡으로
내려놓습니다.

그리운 집으로 돌아가는 것처럼
내년 이맘 때
강물처럼 흘러서
계곡마다
단단한 불을 놓을 것입니다.

빈집
—친정

몸져누워 있는 대문을
가만히 열어 보니
강아지 풀들의 잔치가 열렸다
보송보송한 개꼬리로
자손을 퍼뜨리려
앞 마당을 점령하고
부뚜막옆 부추꽃도
악수를 하며
저녁 준비로 분주하다

감꽃은 초롱을 매달고 반긴다
우물은 지나간 구름을 데려 와
목화솜 이불을 짓고
장독대는 달그락 달그락
바람을 모아서 풀어 놓는다

빈집의 잔치는 담장 그늘로 지고
나는 오래도록 꿈을 꾼다.

햇솜처럼 포근했던 일상은

떠나고, 모두 떠나고

오래 닫혀있던 나비장에

삼베저고리 모시저고리

베틀소리 빈 바람으로 가득하다.

남선현

- 과역면 호덕 출생
- 시작동인으로 작품활동
- 개인시집: 『문』『나와함께한 모든 것』『비움』『빨간낮달』 등
- 공동시집: 『몇년에 한번씩』외 다수.
- 현)고흥작가회 회장.

여전사

남선현

팔순 맞은 역전의 용사들
여섯 명을 모시려고 마을에
차를 세우고 기다렸다
잠시 후 하나 둘 작대기 무기 삼아
낮은 포복하듯 힘겹게 인사를 나누며
점심식사 자리를 마련한 영주 차와
내차에 나눠 타고 과역 짐다리에 있는
식당으로 작전을 수행했다

꽃다운 나이에 짝을 만나
일생을 바쳐 흙과 벗이 돼 전쟁하듯
풀과 싸워 곡식을 일구고 자식 낳아
남 좋은 일 시킬 때 웬수같은 짝은
전쟁터에서 잃거나 방을 사수하는
불침번이 되어 아무짝에도 쓸데 없어
하지만 그래도 영원한 내 짝이여
하며 멋쩍게 얼버무려 은폐한다

여전사

애써 아름답게 빗질하는 전사들

가족을 위해 이 땅을 지키며

어미의 앙당그런 매무새로 싸워 온 세월

등이 휘고 삭신은 만신창이 되었어도

화사하게 벙근 미소는

장승처럼 우뚝 서서 마을을 품고 있다.

이 마을로 배치 된지 육십 여년

호미와 낫과 긴장과 땀으로 지킨 세월

남는 건 주름진 얼굴과 이빨 빠져 어눌한 발음

전사들의 암호 같은 수다로 어느새

점심은 만찬이 되어 진지를 사수 하고

여섯 전사들의 무용담은 너 나 할 것 없이

지나온 세월 반찬이 되고 안주가 되어

한술 또 한잔 밥과 반찬과 반주는 어느새

갈등과 고통의 훈장으로 잔주름사이에 숨어 있다.

부럼

애들이 머물다간 방에 온기 남아 이불 젖히고
그 자리에 누워 방안 가득 피워 놓은 해묵은 꽃
한 아름 품에 안고 향기에 취해 잠을 청해본다

명절 보따리 풀어놓고 따사로운 햇살에
지난날을 버물어 전 부치고 나이를 끓여
한입 가득 넣고 얼음 같은 몸을 녹이던
녀석들 마음이 온몸에 퍼져 등짝이 넉넉하다.

며칠 지난 골목엔 들고양이 울음뿐
떠난 자리 시려와 스산함 깨우고
그마저 시끄러운지 컹컹대는 앞집 살살이가
아이들 웃음처럼 왈왈거린다.

어른거린 꽃들이 바람에 날려
가슴팍에 내려앉아 햇빛 저미고
애써 미소지어보지만 흩어진 잎들
마음 안에 갇혀 다음 명절 손꼽고 있다.

이내 어디선가 들릴 듯 말 듯 매구소리
달빛 한 송이 끌어안고 하얗게 내려앉아
토닥토닥 부럼 깨물던 녀석들 이름 부르며
액운 쫓듯 사방 휘저어 선잠 감추고 있다.

간극間隙

저녁부터 지끈거리던 이가 탈이 났다.
뜬눈으로 새운 밤
번개치고 천둥으로 들쑤셔 놓으면
뒤틀림은 신음과 한숨뿐이다
이튿날 치과에 들러 접수하려는데
흰 비닐봉지 몇 개 놓여있다

합죽이가 된 봉지 주인들의 모습을
바라보니 오래전에 아련하게 느껴지는
어머니의 홍얼거림
고통을 참기 위해 주문 외듯
밤새 서성이며 파리해진 입술 앙당물고
가슴에 맺힌 침묵 소리죽여 쏟아내며
오물거리던 모습 어른어른 겹치고 있다

욱신거린 놈 비틀어 뽑고 죽여 약솜 물고
계산하며 봉지를 자세히 보니
그것은 틀니였다 임플란트할 돈 없으면
틀니로 하라며 설명하는 간호사 곁엔

백발성성한 아침 망설이며 얼매나 살것다고

아프지나 않게 약이나 지어주랑께 잉

처방전 들고 걷기도 힘겨워 느릿느릿 약국

향하는 뒤 모습 바라보는데

희끄무렇게 멀어지는 그곳엔

빼짝 다가온 내 모습 타인처럼 스친다.

물꽃

달꽃 핀 하늘이 금방이라도
울 것같은 저녁을 숟가락에 얹고
식사를 하며 김 대표가 꼭 봐야할
영화라며 기생충을 보잔다

빌딩숲에서 벌어지는 기생관계
지하 반지하 상층에 살고 있는
그곳이 바로 생지옥이다
상층민과 하층민의 이분법적 기생으로
유발된 신유목민의 슬픈 자화상을
그려놓고 영화는 죽음으로 끝났다

그사이 어둠이 삼킨 하늘은
굵은 눈물을 뚝뚝 떨어뜨리며
안경과 머리에 파고들어
썹벅썹벅 아픔을 느끼게 하고
조금씩 젖어든 가시 같은 현실은
뽀얗게 흰 안개를 피운다.

돌아앉은 자리에 양극화兩極化가
먹칠하고 지나치는 마름돌 위로
애절양哀絶陽을 쓰며 개탄 했을
이백여년전 정약용의 마음이 이랬을까
밟히는 빗물이 핏물처럼 튀어 휘청 인다.

머묾터에는

나른하다 밤샘작업에
무거워진 눈꺼풀
찔끔 감으면 느껴지는
젊음 미소가 살아난다

덜커덩 소리
땅속 쇳길 지나 강 건너
자장가로 들여올 때
육감은 동네 머묾터 알리고.

어제 새벽 여명을 등에
업고 가던 길 되돌아
둥지에 똬리 틀면
금빛 품에 안은 피로가 쏟아져

천둥번개벼락 치는 밝음이 있다.

2019년
이대원·정운제독 정신계승
청소년 백일장

수
상
작
품

주최_ 녹도진쌍충사 모충회

후원_ 고흥군, 고흥군의회, 해군제3함대사령부

■ 장원[해군 제3함대사령관상]

갯벌

- 조개의 꿈

김희찬 녹동고등학교 1학년

어두컴컴하다 지칠 때 눈 감은 것처럼
어두컴컴한 이곳이 나는 싫었다

생각한다 또 생각한다 나를
문득 떠 올린 바깥 세상을 나는 가고 싶었다

나아갔다 무언가에 부딪히고 쓸려도 나는 나아갔다

한줄기의 빛이 보였다 그 빛에 나는 울컥했다
그 빛에 끝내 나는 도달했다

환했다
너무 아름답고 눈부셨다

크게 숨을 쉬었다
그리고 깨달았다 내가 살아있음을.

■ 장원[해군 제3함대사령관상]

평화

-곧은 뿌리

오현준 녹동중학교 3학년

이대원 장군님과 정운 장군님
목숨으로 나라를 위하여 희생하시니
참판에 추증되어 쌍충사에서 기린다

거대한 소나무 도끼날에 베었지만
곧게 뻗어있는 뿌리로 뽑히지 않더라
밑동만 남아서 사람들에게 회자 되더라.

■ 장원[고흥군 군수상]

평화

-두 장군을 위한 시

김예진 녹동고등학교 2학년

녹도진 이라는 이름을 지닌

그대를

커다란 손으로 감싸고 있으리

한마음 한 뜻으로

같이 지켜주며 이어가리다

그날을

그대들을

잊지 않으리

어릴 때 아무것도 모른 채

갔었던 녹도진 쌍충사

그곳에 많은 사람들이

모인 이유

우리는 그들의 후손이니라.

■ 장원[고흥군 군수상]

평화

지효은 동강중학교 1학년

평화 한 조선에
임진왜란 이라는 전쟁이 덮쳤다

1592년 4월14일
전쟁이 왠말
하지만 이대원 장군은 물러서지 않았다
이대원·정운 장군의 힘찬 목소리 힘찬 발걸음
섬, 갯벌 이 모든게 평화로워진게
다 이대원·정운 장군님 덕분이 아닌가
이대원·정운 장군의 전사에
우리 고흥은 평화 하지만
이대원·정운 장군의 희생이 아니었다면
우린 어떻게 됐었을까

우리는 기도한다.
평화 한 후손들의 미래를 위해
전사 하신 이대원·정운 장군을 위해.

■ 장원[고흥군 군의회 의장상]

갯벌
- 고향에 썰물이 밀려오듯이

이아희 녹동고등학교 1학년

고즈넉한 언덕에 앉아 갯벌을 바라봅니다
누구는 그것이 평화라고도 하고
누구는 그것이 자유라고도 합니다
섬의 자유로움 파도를 따라 일렁이는 갯벌을 보자면
짱둥어가 고개를 빼꼼 내밀 듯이
아니, 그것보다 더 세게 밀려오는 파도를 보며
나의 고향 그 섬
햇볕에 모래가 황금빛으로 빛나던 그 섬이 생각나
눈물이 흘러내려 으스러지는 것 같은 내 마음을
꾹 꾹 눌러 참아봅니다.

■ 장원[고흥군 군의회 의장상]

평화

-바닷가의 고요함

송경진 동강중학교 1학년

파도가 쉴새없이 부서지는 바닷가
쉴새없이 소리내어 우는 푸르른 바닷가
소리내어 저를 다독이는 찬란한 바닷가
파도소리가 멎어들고 나서야 비로소 울음을 그치더라

우리가 그들의 아픔을 어찌 감히 헤아리고
우리가 그들의 애국심을 어찌 감히 논하리

시리도록 푸른 하늘 아래 붉은 액체가 바다를 적시리니
파도소리가 멎어 고요해진 바닷가는 그제서야 울음을
그치더라.

■ 장원[고흥경찰서 서장상]

평화

- 휴전선

김동준 고흥남양중학교 3학년

이별을 부르는 전쟁
푸른 새싹은 고목이 되었네

이별을 마주한 아이
하얀 백발의 노인이 되었네

휴전선은
그날의 아픔과 슬픔을 고스란히
감싸고 있네

넘을 수 없는 선은 단 하나
휴전선

서로 손을 뻗으면 닿을 거리
장벽에 막히고
선만 그어지고

선이 사라지는 주문을

부르네

평화의 노래를.

■ 장원[고흥경찰서 서장상]

평화

-이대원·정운 제독

김규리 녹동중학교 3학년

당신의 눈동자 속 파랗던 바다 물결이
핏빛으로 물들어갈 때

내뱉던 그 비통함이 노래되어
잔잔히 울려 퍼져 녹도만호를 감싸 안으니

그 슬픔을 곱게 모아
이 바다에 묻고
녹도만호 한 켠에 마저 묻었으니

밤새 울어 지친 파도소리 마저
붉은 노을에 물들어만 간다

날카로운 칼날 부딪히며
몹쓸 상처 온 몸 끌어안아 괴로워도
이 땅 위해 꿋꿋하며 강인하게 막아낸 그 힘찬 기상을
두 장군이 지켜내고자 했던 이 녹도만호에서
그들의 순국 정신을 온 마음 다해 가슴깊이 새겨본다.

■ 장원[고흥교육지원청 청장상]

갯벌

이서지 녹동고등학교 1학년

하루에 두 번 용궁에서 육지 앞 바닷물을 끌어다가 쓴다
그러면 사람들은 재빨리 들어가 열심히 망을 파곤하지
장화 신고 흰 소금을 뿌려 진흙속을 뒤지곤 하지

용궁에 따라가지 않은 조개와 낙지 녀석들은 그제서야
아차한다
한편 사람들은 얼씨구나 좋아한다

저 멀리 반가운 우리어머니 보여 달려가려다 멈춰서서
아차한다
어저께 뻘에서 끊어지고 사라져버린 노란 신발을 잊지
않았기 때문에
나는 들어가지 않고서는 저만치 밖에서 어머니만 부른다

내가 엄마하고 부르면 다른 어머니들은 묵묵히 땅을
파지만

저 멀리 있는 우리 어머니는 신통하게도 나를 알아보신다

그러면 어머니 손을 꼭잡고 돌아갔었지

이제는 나의 일상속에 그날의 갯벌은 어디에도 없다
그날의 갯벌은 어디로 홀연히 모습을 감춰 사라졌나
나의 노란 신발처럼 진흙 밑으로 사라졌나

그날을 따라가지 못하고 묵묵히 자란 오늘 나는
이제야 아차한다
한편 사람들은 옛날을 잊고 산다.

■ 장원[고흥교육지원청 청장상]

평화

- 그들의 이름

박현성 동강중학교 1학년

나의 고흥

우리의 고흥

아 고흥이 있는 것이

이대원·정운 장군이

있기 때문에 있는 것이 아닌가

우리의 맑은 하늘에

먹구름이 꼈었지만

그것을 걷어낸 이대원·정운장군이 있어서

우리가 위를 봤을 때

하늘이 맑은 것이 아닌가

그들이 끝까지 막았기에

우리가 맑은 하늘을 볼 수 있는 것이 아닌가

오늘 이 땅을 걸을 수 있는 것이

모두 그들의 덕분이니

그 이름을 어찌 잊을 수가 있을까

그들의 이름을 뼛속깊이 마음깊이
새기고 새기리
이들의 이름을 잊은 날은 오지 않을테니
다시 한번 새기고 새기리

이들의 용기가 멀리멀리 퍼지리
이세상 모든곳에 퍼지리

나의 고흥
우리의 고흥
이 자랑스러운 고흥도
이대원·정운 장군이 있기 때문이 아닌가
나는 다시 한번 생각한다.

■심사평

압축과 정련의 언어예술인 시를 바라보는 올바른 시선은

무엇을 어떻게 쓸 것인가?

글을 쓰려는 사람에게는 '무엇을 어떻게 쓸 것인가'에 대한 치열함이 마음속에서 솟아나야 한다. 이러한 물음이 강하면 강할수록 좋은 작품을 쓸 가능성이 그만큼 높아 질것이다.

2019년 이대원·정운재독 정신계승 청소년 백일장 대회도 2018년과 마찬가지로 공모하여 응모를 받아 심사를 하게 된 것이다. 물론 백일장대회의 본 취지를 살려 한 장소에서 시제를 주고 공정하게 솜씨를 겨루도록 시행하여야 하겠지만, 학생들 시험과 학사일정 등 여러 가지 제약으로 불가피하게 행사 전에 시제와 참가신청서, 두 분 제독 관련자료, 백일장 공모 요강 등을 공시하고 고흥군으로 지역을 한정하여 공모, 백일장 대회를 갖게 된 점과 시부문만 공모하게 된 점을 양해를 구하는 바이다. 따라서 고흥작가회 시인으로 구성된 심사위원들과

(평화, 섬, 갯벌) 주최측의 협의하에 세 가지 시제를 공시하여 이미 주어졌기 때문에 제시된 주제와 독창적인 자신만의 시어로 의미를 해석하고 국가관과 역사의식의 이면에 잠제된 시의 본령으로 함축적이고 시적 감성을 살려 즉 비유와 은유의 형상화에 충실했는지, 이로인해 시로 발현된 언어적 감각화가 내밀하고 구체적으로 독자에게 설득력을 혹은 치열하게 지역특성을 살려 쓰여졌는가를 집중적으로 보고 공정하게 심사에 임해 수상자를 선정한 것이다.

그리하여 청소년 여러분의 정성어린 작품하나 하나 여러번의 심의를 거쳐 수상자를 선정하였음을 밝혀 두고자 한다. 따라서 이번 백일장대회 결과를 살펴보면 우선 청소년 여러분 대부분이 운문(시)과 산문의 차이점을 등한시 하고 있거나 염두에 두지않아 산만하고 주제를 설명하는 직설과 직유법으로 시의 함축성이 떨어졌음을 기억해야 할 것이다.

시 쓰기의 수고로움에 대한 보상을 원하는 충분 조건으로 자신의 시상이나 가치관을 적극 표명할 수 있어야 할 것이다. 이 부분은 개인적이요, 독자적인 면이 강하기 때문에 반드시 보편성의 공감대 형성을 따져보아야 한다.

글이란 개성과 함께 보편성을 확보해야 감동이라는 최종 보석을 얻게 되는 것이다. 무엇을 독자에게 전할것인가 하는 이 '무엇'이 주제인 셈이다. 주제가 절실하면 읽는 이의 공감대를 자극하는 힘이 강해진다. 삶의 절실함이 묻어나는 언어일수록 울림이 강하기 때문이다.

다음으로 주어진 주제를 어떻게 효과적으로 전달할 것인가 하는 문제가 따른다. 다시 말하면 시를 단단히 짜내쳐지거나 흘렁거리지 않도록 구성하는 솜씨가 필요하다. 남성적 어조로 나타낼것인가, 여성적 어조로 나타낼 것인가 혹은 밝은 빛깔의 분위기로 끌고 갈 것인가 어두운 분위기로 끌고 갈 것인가 하는 전략이 대두 된다. 작자의 특유의 말투, 다시 말하면 문체에 주목할 필요가 있다. 문체에는 작자의 호흡, 습성, 생각의 깊이가 묻어나게 마련이다. 이러한 표현 방식은 개성 있는 시쓰기의 중요한 요소가 된다.

하지만 이번 공모는 주최측에서 시제를 지역특성을 살려 백일장 대회로 공모하였기에 공평하게 주어진 시제(평화, 섬, 갯벌)에 맞게 시쓰기를 하여 응모 하여야 하는데 그렇지 않은 청소년들이 일부 많았다는 점을 심사위원님들의 일치된 의견으로 지적하며 감점요인이 되었음을 전달한다.

한편으로 정혜진 심사위원님께서는 이번 청소년들의 작품을 읽으며 고향에 대한 깊은 관심을 확인할 수 있는 계기가 되었음을 기쁘게 생각하며 특히 "갯벌-조개의 꿈"은 희망과 빛을 전해주고 진취성을 엿볼 수 있어서 좋았다고 만족해 하셨다. 그리고 부천에서 고향 후배들의 작품을 보기위해 찾아주신 김명숙 심사위원님은 작품 "평화-휴전선"과 "평화-곧은 뿌리"를 시와 시조의 품격을 갖춘 잘 쓴 작품이었다고 칭찬을 아끼지 않았다.

하지만 한편으로는 일부 많은 작품이 과장되거나 억지스러운 비유가 있어 아쉬움을 주었다. 원관념과 보조관념이 결합하여 시적 완성에 이르기까지는 두 대상의 연속성, 유사성, 인접성 등을 확보함으로써 설득력과 공감을 담보할 수 있기 때문이다.

시는 한 행으로도 감동을 주어야 하는데 그러지 못한 작품이 상당하다. 리듬없는 시가 의외로 많다. 산문적인 시가 많다는 것은 복잡 다단한 삶의 언어를 뱉어낸다는 사회상을 반영하기도 하지만, 압축하고 통일시켜야 하는 시의 본령에서 멀어지는 듯해서 얼마간 우려감도 든다. 하지만 대체로 장점이 많아서 내년을 기대한다.

시는 상상의 소산이다. 상상의 세계에서 이미지들은 생생하게 움직이며 자유로운 관계를 맺는다. 논리적 사고로는 들어가기 어려운 발랄한 초논리의 세계에서 감각과 느낌, 기억과 사고는 대상을 통찰할 수 있게 된다. 상상에서 촉발되어 시공을 넘나들며 재현되는 시적세계는 순간에 삶의 진실을 환기, 체득하는 놀라운 마력을 발휘하지만 그러려면 언어를 경제적으로 사용할 수 있어야 한다. 이때 효과적인 방법이 적절한 비유이다. 즉 시는 고도로 축약된 언어로 짜인 언어예술인 것이다.

시에서 가장 중요한 요소는 대상을 바라보는 눈과 언어 즉 시어, 그리고 은율이다. 그런데 대체적으로 사물을 바라보는 눈이 여려서 인지 주제에 대한 독창성이 부족하였다. 주제를 형상화하는 과정에서 끝까지 집중하지못하여 시어들이 어지럽고 리듬감이 약했다. 시가 압축과 정련의 언어예술이라는 것을 기억했더라면 더욱 좋은 작품을 완성할 수 있었을 것인데 아쉬움이 남는 작품들도 많았다. 시는 감정을 직접적으로 토로하지않고 그것을 삭히어 읽는 이가 스스로 사유할 수 있도록 기회를 제고하여야 한다는 점을 기억한다면 더 좋은작품으로 발현되리라 생각된다.

한편으로 응모한 모든 청소년들의 작품이 감동으로 다가온 것은 열악한 여건 속에서도 성실하게 참여해 주었고 선생님들이 애써 주신 점이다. 그리고 생각보다 좋은 작품들을 수상작품으로 만날 수 있어서 미래의 희망을 보았다는 것이 감사하고 기쁘다.

상을 받은 청소년들에겐 축하를, 받지 못한 청소년들에게는 위로와 격려를 보낸다.

2019년 이대원·정운제독 정신계승 청소년 백일장 심사위원
고흥작가회: 김휜구, 이광호, 정혜진, 양동선, 김명숙, 김경숙 시인
대표집필_남선현 시인

상상의 세계에서 이미지들은 생생하게 움직이며 자유로운 관계를 맺는다.